Delaf - Dubuc

Les liens de l'amitié

DUPUIS

Retrouve chaque semaine

dans SPIROU HEBDO et sur SPIROU.COM

Dépôt légal : mars 2008 — D.2008/0089/17
ISBN 978-2-8001-4031-5

Imprimé en Belgique.
www.dupuis.com

J'AI TROP HÂTE QUE VICKY DÉBALLE MON CADEAU !
JE COMPRENDS, TU ES IMPATIENTE DE VOIR LA TÊTE QU'ELLE VA FAIRE...
NON, J'AI HÂTE DE REVOIR LE CADEAU, IL EST TELLEMENT BEAU !
CENTRE HOSPITALIER
ENTRÉE DES VISITEURS
EN TOUT CAS, JE SUIS SÛRE QU'ELLE SERA SUPER CONTENTE DE TE...
VROUM!
JOHN JOHN ?!
SALUT, MA POULE ! TU VEUX FAIRE UNE BALADE ?
OUAIS !!!
!
MAIS... ET VICKY ?
TU AS RAISON, KARINE... CE SERAIT INJUSTE DE LA PRIVER D'UNE TELLE SPLENDEUR...
JE TE LAISSE LUI DONNER.
CHANCEUSE, VA !
VRRRRRR
100-A
MADEMOISELLE ? VOTRE AMIE EST VENUE VOUS VOIR...
JENNY, ENFIN ! IL ÉTAIT TEMPS QU'ELLE SE DÉCIDE À ...
COUCOU, VICKY !
AH, C'EST QUE TOI.

POURQUOI JENNY EST PAS VENUE ?
HEU...
ELLE EST ALLÉE SE BALADER !
PAS AVEC JOHN JOHN, QUAND MÊME ?
TU DEVRAIS RESTER COUCHÉE... L'INFIRMIÈRE DIT QUE TU NE DOIS PAS BOUGER.
SHOOOOOOOOUK
?
TU ME CACHES UN TRUC. DIS-MOI OÙ EST JENNY.
BAH ! JE SAIS PAS TOUJOURS OÙ ELLE EST EXACTEMENT ...
ELLE SORT AVEC JOHN JOHN ! C'EST ÇA QUE TU ESSAIES DE ME CACHER...
NON, VICKY, J'ESSAIE RIEN DU TOUT, MOI, JE...
SI TU MENS, TU VAS ME LE PAYER, TU LE SAIS, ÇA ?
GLPS !
AU MOINS, TU M'AS APPORTÉ UN CADEAU. C'EST PAS CETTE SALE ÉGOÏSTE DE JENNY QUI PENSERAIT À ÇA !
HEU...
SCRIIITCH !
ALORS, COMMENT VICKY A TROUVÉ MON CADEAU ?
JE CROIS QU'ELLE S'Y ATTENDAIT UN PEU, MAIS QUAND MÊME, IL Y A EU UN BON EFFET DE SURPRISE...
CENTRE HOSPITALIER
ENTRÉE DES VISITEURS
100B
Delaf - Dubuc

ON DOIT EN FAIRE DES JALOUX, TOI ET MOI...
SMOUTCH !
LE PLUS BEAU GARS ET LA PLUS BELLE FILLE DE L'ÉCOLE QUI SORTENT ENSEMBLE, TU IMAGINES ?
C'EST CLAIR.
BON, J'Y VAIS, ON SE REJOINT AU DEUXIÈME ?
SCOUIK SCOUIK
O.K. !
SMOUTCH !
SCOUIK SCOUIK
EH, JOHN JOHN ...
C'EST À QUEL ÉTAGE, DÉJÀ, LE DEUXIÈME ?
HA ! HA ! HA !
QUELLE IDIOTE !
DE QUI VOUS PARLEZ ?
DE LA NOUVELLE COPINE DE JOHN JOHN.
OH OUI, ELLE EST TOTAL CRUCHE !
HOULÀ ! C'EST VACHE POUR LES CRUCHES !
HA ! HA !
ELLE AURAIT BESOIN D'UNE GREFFE DE CERVEAU.
LA GREFFE PRENDRAIT MÊME PAS !
NON : LE CERVEAU LA REJETTERAIT !
82
HA ! HA ! HA ! HA !
CHUT ! JE PENSE QU'ELLE NOUS ÉCOUTE.
PFF ! ELLE EST TROP IDIOTE POUR SE RENDRE COMPTE QU'ON PARLE D'ELLE !
SALAUD ! C'EST QUI CETTE IDIOTE AVEC QUI TU ME TROMPES ?!
???
Delaf - Dubuc

J'ESPÈRE QUE VOUS N'AVEZ RIEN PREVU DE TROP GROS POUR MON RETOUR, HEIN ? MÊME SI J'AI SAUVÉ LA VIE DE MURPHY, JE RESTE TRÈS SIMPLE.
ELLE DIT QU'ELLE EST MONTÉE SUR LE TOIT DE L'ÉCOLE POUR CONVAINCRE MURPHY DE DESCENDRE. IL A TENTÉ DE L'EMBRASSER. EN RECULANT, ELLE EST TOMBÉE.
PARAÎT QUE VICKY EST MONTÉE REJOINDRE MURPHY SUR LE TOIT DE L'ÉCOLE POUR L'EMBRASSER, PUIS ELLE EST TOMBÉE.
VICKY ? ELLE ET MURPHY SONT ALLÉS S'EMBRASSER SUR LE TOIT DE L'ÉCOLE.
EXIT
SAVAIS-TU QUE VICKY ET LE DÉPRESSIF SONT ALLÉS FAIRE DES COCHONNERIES SUR LE TOIT DE L'ÉCOLE ?
C'EST VRAI QUE TA SOEUR A COUCHÉ AVEC LE BOUTONNEUX ?
NON ! PITIÉ ! JE VEUX PLUS JAMAIS RETOURNER À L'ÉCOLE !!
Delaf - Dubuc

ÇA DÉRANGE PAS TES PARENTS QU'ON PASSE LA SOIRÉE DANS TA CHAMBRE ?
ON REGARDE UN FILM, ON FAIT RIEN DE MAL.
C'EST COOL DE LEUR PART.
TU VOIS ? JE SAVAIS QUE MON FRÈRE M'AVAIT PIQUÉ MA CASSETTE !
ON N'ENTEND RIEN.
C'EST UN VIEIL ENREGISTREMENT. MONTE LE VOLUME AU MAXIMUM.
JE ME DEMANDE SI ON FAIT BIEN DE LES LAISSER TOUT SEULS DANS LA CHAMBRE...
ARRÊTE DE T'INQUIÉTER. KARINE EST UNE FILLE RESPONSABLE.
ON PEUT AVOIR CONFIANCE EN...
AH ! AAAH ! OUiiiiiiiii ! AH ! ENCORE ...
MON FRÈRE A EFFACÉ LA FIN DE MON FILM AVEC SES COCHONNERIES ! LE CON !
VITE ! OÙ EST LA TÉLÉCOMMANDE ?
OUiiiiiiiii ! ENCORE !
JE LA TIENS, C'EST BON !
AÏE ! ATTENTION, TU ME FAIS MAL !
JE PEUX PLUS INVITER DE GARÇONS À LA MAISON JUSQU'À MES 18 ANS, MAIS J'AI QUAND MÊME RÉUSSI À LES CONVAINCRE DE NE PAS DÉMÉNAGER.
C'EST COOL DE LEUR PART...
84
Delaf - Dubuc

TU VOIS, KARINE, MON RETOUR À L'ÉCOLE NE PASSE PAS INAPERÇU...
... MÊME AVEC DEUX PLÂTRES ET EN FAUTEUIL ROULANT, J'AI ENCORE PLUS LA COTE QUE TOI !
EH, VICKY !
ALORS COMME ÇA, ON SORT AVEC LE GARS LE PLUS SEXY DE L'ÉCOLE ?
QUOI ?
TOUJOURS LES MÊMES QUI ONT TOUT !
HA ! HA ! HA !
?
AH !
VICKY + MURPHY
MAIS QU'EST-CE QUE TU FOUS !? DÉCROCHE-MOI ÇA TOUT DE SUITE !!
AAAH !
QUOI ? QUOI ?
JE RÊVE, C'EST PAS POSSIBLE !
OH NON ! TOUT LE MONDE EST AU COURANT DE CETTE STUPIDE RUMEUR !
QUI A BIEN PU FAIRE ÇA ?
QUEL COUP DE PUB, CETTE RUMEUR !
ALLEZ, ENCORE UNE CENTAINE DE COPIES ET C'EST BON !

CHOUPIGNOU?
C'EST TOI QUI AS COLLÉ CES HORREURS PARTOUT ?
QUOI ?
JE...
MAIS PAS DU TOUT !
VICKY + MURPHY
J'ÉTAIS JUSTEMENT EN TRAIN D'ARRACHER CES TORCHONS !
VOYONS, MON AMOUR ! POURQUOI J'AURAIS FAIT UN TRUC PAREIL ?
POUR QUE LES FILLES SE DISENT QUE JE DOIS ÊTRE UN SACRÉ BON COUP PUISQUE JE SORS AVEC UN CANON ? ALLONS...
ÇA M'AVANCERAIT À QUOI ? J'AI DÉJÀ UNE COPINE SUPERBE...
TU MENS ! JE TE HAIS !!
LIZON, ATTENDS ! C'EST UN COUP MONTÉ ! QUELQU'UN CHERCHE À SALIR MA RÉPUTATION...
VICKY... TU VAS PAS T'ENFERMER LÀ POUR TOUJOURS...
POURQUOI PAS ?!
VIENS, ON VA FINIR D'ENLEVER LES AFFICHES ENSEMBLE. TU VAS VOIR, ÇA VA ALLER.
JE SUIS BLESSÉE ! J'AI MAL, JE SOUFFRE ! T'AS PAS L'AIR DE COMPRENDRE !
JE SUIS TON AMIE, VICKY : CE QUI TE FAIT SOUFFRIR ME FAIT SOUFFRIR AUSSI.
OUAIS, BEN ÇA PARAÎT PAS !
?
?
83B
MAIS QU'EST-CE QUE TU AÏE ! MAIS LÂCHE-MOI !
CLIC ! CLAC ! PAF !
CHOUPIGNOU !
JE T'AIME, EXCUSE-MOI !!
AÏE !
BON ! ENFIN UN PEU DE COMPASSION !
Delaf - Dubuc

T'AS DE LA CHANCE D'ÊTRE BELLE. JE T'AURAIS JAMAIS PARLÉ SINON.
MOI C'EST PAREIL ! ON SE RESSEMBLE TELLEMENT !
Frites-Romance
LES BELLES AVEC LES BEAUX, LES GUENONS AVEC LES CRAPAUDS !
HI ! HI !
DÉSOLÉE, JE SAVAIS PAS QUE CE SERAIT AUSSI PÉNIBLE !
SI TU VEUX, JE PRÉTEXTE UN SOUDAIN MAL DE CRÂNE ET ON S'EN VA.
UN MAL DE CRÂNE ? ALLONS, ON VA PAS MENTIR !
DE TOUTE FAÇON, JE VEUX ÊTRE LÀ QUAND IL VA ENLEVER SON CASQUE POUR MANGER !
SMICK ! SMACK ! SMOUK !
ÇA RISQUE PAS D'ARRIVER, SI TU VEUX MON AVIS.
POURQUOI ? TU PENSES QU'IL EST SUPER LAID EN DESSOUS ?
EUH...
CE SERAIT TROP FOU ! T'IMAGINES LA RÉACTION DE JENNY ?
VOS CHOIX SONT FAITS ?
UN BURGER MAISON ET UN VERRE D'EAU.
PAREIL.
MÊME CHOSE, MAIS AVEC DE L'EAU LIGHT. JE SUIS AU RÉGIME.
UN MILK-SHAKE AU CHOCOLAT POUR MOI.
TU ES SÛR, JOHN JOHN ? TU DEVRAIS ESSAYER LEURS BURGERS, ILS SONT
J'AIME PAS LES BURGERS.
DUIL-DEUL-DUIL...
DUIL-DEUL-DUIL...
C'EST STUD, JE REVIENS.
FAIS VITE, MON BEAU !
AAAAAAAAH...
VOUS VOUS RENDEZ COMPTE DE LA CHANCE QUE VOUS AVEZ TOUS LES DEUX ?
ÇA SE VOIT TANT QUE ÇA ?
ÉVIDEMMENT !
PASSER LA SOIRÉE À NOUS REGARDER, JOHN JOHN ET MOI ! ON EST TELLEMENT BEAUX !
!!
D'AILLEURS, C'EST PAS JUSTE POUR NOUS... JE ME DEMANDE S'IL Y A DES PLACES OÙ ON PEUT S'ASSEOIR FACE À UN MIROIR...
HEU... JE VAIS AUX TOILETTES VOIR SI J'AURAIS PAS UN MAL DE CRÂNE.

TIENS, SI C'EST PAS MON GRAND AMI !
JOHN JOHN ? JE PENSAIS QUE TU ÉTAIS AU TÉLÉPHONE.
PAS DU TOUT ! JE SUIS AUX CHIOTTES, LÀ.
T'AVAIS QUELQUE CHOSE À ME DEMANDER ?
MOI ? EUH... NON, RIEN DE SPÉCIAL.
ALLEZ, FAIS PAS LE TIMIDE, JE T'ÉCOUTE.
JENNY, JE... IL Y A QUELQUE CHOSE QUE TU DOIS SAVOIR... C'EST À PROPOS DE JOHN JOHN...
TU ES JALOUSE, JE SAIS. ÇA CRÈVE LES YEUX.
MAIS C'EST PAS GRAVE, JE TE PARDONNE.
MAIS NON, C'EST PAS ÇA DU TOUT ! ... C'EST AU SUJET DE SON CASQUE...
OU PLUTÔT DE CE QU'IL Y A EN DESSOUS ...
AH ! ÇA...
OUI-OUI, J'AI VU, IL M'A MONTRÉ.
AH BON ?!
MAIS JE SAVAIS PAS QUE TU ÉTAIS AU COURANT...
PUISQUE C'EST TOI QUI EN PARLES...
J'AI PEUT-ÊTRE UNE QUESTION, EN EFFET...
TON CASQUE, LÀ...
MMH
TU L'ENLÈVES JAMAIS ?
HA ! HA ! HA ! C'EST PAS DANS MES HABITUDES, MAIS JE PEUX BIEN FAIRE ÇA POUR TOI !
SÉRIEUX ?!
SAUF QU'IL VA FALLOIR QUE TU ME SUPPLIES À GENOUX !
PFF ! T'EN PROFITES, C'EST PAS CORRECT.
HA ! HA ! HA !
FLSHHH
VOILÀ, JE...
WÔÔÔ !! ATTENDS UNE SECONDE...
QUOI ?
Y A UN MEC QUI A SA GUEULE UN PEU TROP PRÈS DE MON ZIZI. JE TE RAPPELLE. BYE STUD.
CLC
JOHN JOHN, ATTENDS, C'EST PAS CE QUE TU...
PAF !
PIF !
CLAC !
TU SAVAIS QUE KARINE ÉTAIT AU COURANT POUR TON OREILLETTE ?
FA Y EST, V'AI UN FOUDAIN MAL DE CRÂNE...
Delaf - Dubuc

!
?
?
CLAP
CLAP
CLAP
88
Delaf - Dubuc

JE SUIS CONTENT QUE TU AIES ACCEPTÉ D'ÊTRE MA POULE.
BAH ! J'AIME RENDRE LES GENS HEUREUX, C'EST DANS MA NATURE...
VROUM ! VROUM !
WOW !
QUEL COUPLE ILS FONT !
J'AIMERAIS TANT ÊTRE À LA PLACE DE VICKY !
ET MOI DE JOHN JOHN !
POUR LES AUTOGRAPHES, ON EN FAIT CINQUANTE MAXIMUM ET PAS PLUS D'UN PAR PERS...
BOU-HOU-HOU...
?
JENNY ?
ÇA VA PAS ?
TIENS... JE T'AI ÉCRIT UNE LETTRE...
SNRF !
Vicky
PAR ÉCRIT, C'EST PLUS FACILE...
« Chère Vicky,
Depuis que tu sors avec John John, ma vie est un enfer. J'ai perdu en même temps l'amour de ma vie et ma meilleure amie. Bouhouhou !
Et c'est signé : Jenny »
PAUVRE JENNY ! JE SAVAIS PAS QUE TU TENAIS TANT À JOHN JOHN ! ALLEZ, ARRÊTE DE PLEURER, JE TE LE LAISSE.
HEIN?!
DÉSOLÉE MON BEAU, TOI ET MOI C'EST TERMINÉ. MAINTENANT TU SORS AVEC MA MEILLEURE AMIE : JENNY.
QUOI ?
MAIS...
TE PLAINS PAS ! C'EST QUAND MÊME LA DEUXIÈME PLUS BELLE DE L'ECOLE.
VICKY, C'EST TROP GENTIL ! DIS-MOI COMMENT JE PEUX TE REMERCIER !
103
« ... C'est alors que je poserais ma main sur ton épaule et te répondrais : Tu n'as pas à me remercier. Je suis sûre que tu aurais fait la même chose pour moi. »
VICKY ?
ÇA VA PAS ?
TIENS... JE T'AI ÉCRIT UNE LETTRE...
SNRF !
Jenny
Delaf - Dubuc

EH, VICKY !
TU VAS ÊTRE TROP CONTENTE !
TIENS, SI C'EST PAS MON EX-MEILLEURE AMIE.
DE QUI TU PARLES ?
DE LA ROUSSE, LÀ, AVEC UN CHAPEAU VERT ET UN AIR IDIOT. CELLE QUI N'EST JAMAIS PASSÉE ME VOIR À L'HÔPITAL.
OÙ ÇA ??
LAISSE TOMBER. QU'EST-CE QUE TU ME VEUX ?
PRÉPARE-TOI, CE SOIR JE T'EMMÈNE DANSER !
QUOI ?!
JE LE VOIS BIEN QUE TU ES JALOUSE DEPUIS QUE JE SORS AVEC JOHN JOHN, ALORS JE T'AI ORGANISÉ UN RENDEZ-VOUS À LA DISCOTHÈQUE AVEC STUD, UN DE SES AMIS.
UN GRAND COSTAUD, TU VAS L'AIMER.
UN RENDEZ-VOUS À LA DISCOTHÈQUE ?!
TU VOIS PAS QU'IL Y A COMME UN PETIT PROBLÈME DANS TON PLAN ?
LEQUEL ?
DEVINE. JE TE LAISSE TROIS CHANCES.
AH ZUT, C'EST VRAI...
TAP !
EXCUSE-MOI, VICKY ! J'AVAIS COMPLÈTEMENT OUBLIÉ QUE TU SORTAIS AVEC LE DÉPRESSIF, MAINTENANT...
QUELLE CONNE !
NON MAIS QUELLE CONNE !
VICKY, ATTENDS ! ...
... QU'EST-CE QUE JE VAIS DIRE À STUD, MOI ? JE PEUX PAS Y ALLER SEULE...
?
Y A UN PROBLÈME, JE PEUX T'AIDER ?
HEU... J'AI DÉJÀ UN PETIT COPAIN.
ET ALORS ? MOI JE SUIS BIEN MARIÉ...
STUD
Delaf - Dubuc

JE T'ASSURE, KARINE, JE VAIS ME DÉBROUILLER. VA REJOINDRE DAN, ALLEZ !
BON... À DEMAIN.
EH, MON BEAU !
KARINE M'A LÂCHEMENT LAISSÉ TOMBER. ALORS J'AI BESOIN QUE QUELQU'UN ME RAMÈNE À LA MAISON.
DÉSOLÉ, POUPÉE, J'AI PAS L'OPTION POUSSE-FAUTEUIL SUR MA BÉCANE.
T'INQUIÈTE, J'AI TOUT PRÉVU ! JE MONTE AVEC TOI ET ON ATTACHE LE FAUTEUIL DERRIÈRE.
OUAIS, PAS CON... MAIS J'ATTENDS JENNY. ELLE AVAIT UN COURS DE GYM.
ELLE VIENDRA PAS. TU SAIS COMMENT ELLE EST : UN JOUR, C'EST UN GARÇON, LE LENDEMAIN C'EST UN AUTRE...
ALLEZ, OUBLIE-LA !
HOP !
VICKY !
JENNY ? MAIS... T'ES PAS EN TRAIN DE CHERCHER TES VÊTEMENTS ?
COMMENT TU SAIS QUE JE ME SUIS FAIT VOLER ?
LES RUMEURS VONT VITE. D'AILLEURS, TU DEVRAIS RETOURNER VOIR DERRIÈRE LA POUBELLE...
C'ÉTAIT TOI ! SALE VOLEUSE !
EH-OH ! REGARDEZ QUI PARLE ! LA VOLEUSE C'EST TOI !
J'AI RIEN VOLÉ, MOI !
AH NON ? ET JOHN JOHN, TU L'AS PAYÉ PEUT-ÊTRE ?
T'AS PAS LE DROIT DE M'ACCUSER COMME ÇA !
JOHN JOHN ÉTAIT À NOUS DEUX ! ON AVAIT UN ACCORD TACITE !
IMPOSSIBLE, JE SAIS MÊME PAS CE QUE C'EST !
!
PÉTASSE !
CONNASSE !
HOLÀ, DU CALME, LES POULES...
J'AI UNE SOLUTION QUI DEVRAIT ARRANGER TOUT LE MONDE...
99
JE M'INQUIÈTE POUR VICKY... J'AURAIS PAS DÛ LA LAISSER RENTRER TOUTE SEULE...
T'EN FAIS PAS. ELLE TROUVERA BIEN QUELQU'UN D'AUTRE À QUI SE RACCROCHER.
Delaf - Dubuc

QUOI? TU SAIS CE QUI SE CACHE SOUS LE CASQUE DE JOHN JOHN ?!
OUI, MAIS JE PRÉFÈRE PAS EN PARLER.
MAIS... À MOI TU PEUX LE DIRE, NON ?
CE SERAIT PAS CORRECT. C'EST À JOHN JOHN DE LE FAIRE.
ALLEZ, JE PARIE QU'EN DIX ESSAIS JE TOMBE DESSUS...
PFF ! T'EN AURAIS UN MILLION QUE TU TROUVERAIS PAS !
IL A EU UN ACCIDENT DE MOTO QUI L'A DÉFIGURÉ, C'EST ÇA ?
NON.
IL EST NÉ AVEC UN BEC-DE-LIÈVRE ET SES PARENTS NE L'ONT PAS FAIT OPÉRER ?
C'EST PAS ÇA.
ALORS C'EST UN GRAND BRÛLÉ ?
NON PLUS.
IL EST PEUT-ÊTRE JUSTE TRÈS TRÈS MOCHE ET ÇA LE COMPLEXE...
QU'EST-CE QUE J'AI FAIT POUR AVOIR UN NEZ PAREIL ?
C'EST PAS SI SIMPLE.
JE TE L'AI DIT, DAN, TU POURRAS PAS DEVINER.
ATTENDS, ATTENDS, JE VAIS FINIR PAR TROUVER !
C'EST QUELQU'UN QU'ON CONNAÎT ?
IL EST PLUS ÂGÉ QU'ON LE PENSE !
IL A COMMIS UNE ERREUR DE JEUNESSE ?
FOCK THE WEURLD
C'EST PAS UN MEC !
IL A UNE MOUSTACHE ?
IL FUIT LA CÉLÉBRITÉ ?
YEAH !
TU AS ÉPUISÉ TES DIX ESSAIS. JE DOIS RENTRER, MAINTENANT.
TU PEUX PAS ME LAISSER COMME ÇA ! DIS-MOI AU MOINS S'IL EST LAID OU S'IL EST BEAU...
NI L'UN NI L'AUTRE.
?
À DEMAIN, DAN.
104
NI LAID NI BEAU... PFFT !
CINÉM
À L'AFFICHE
ZONE 51
KARINE ?
Delaf - Dubuc

¡¡¡¡¡¡!
LE NOUVEAU CHRIS DARYL ! IL ME LE FAUT !!
Chris Daryl
IT'S ALL FOR YOU
?
ÇA ME FERAIT HYPER PLAISIR SI TU ME L'OFFRAIS !
MAIS... TON ANNIVERSAIRE EST SEULEMENT DANS HUIT MOIS !
ÇA COMPENSERAIT POUR TON CADEAU MINABLE DE LA DERNIÈRE FOIS.
JE PEUX PAS, JENNY. JE VEUX ACHETER LE DERNIER BLACKBERRIES À DAN. J'AI PAS LES SOUS POUR LES DEUX.
S'TE PLAÎT ! S'TE PLAÎT ! S'TE PLAÎT !
MUSIC
WOUAH ! MERCI, KARINE !
T'AURAS QU'À DIRE À DAN QUE TU AS OUBLIÉ SON ANNIVERSAIRE. S'IL T'AIME, IL COMPRENDRA.
SCRITCH SCRITCH
CE QU'ILS PEUVENT METTRE COMME COCHONNERIES DANS CES BOÎTIERS...
?!
96
T'AS JETÉ LE CD ?!?
FRANCHEMENT, KARINE ! POURQUOI PAYER POUR DE LA MUSIQUE QUAND ON PEUT TOUT AVOIR GRATOS SUR INTERNET ?
REGARDE-MOI CETTE GUEULE D'AMOUR ! C'EST MON AGENDA QUI VA ÊTRE CONTENT !
Delaf - Dubuc

DÉSOLÉE, JENNY, J'AI PAS LE TEMPS DE T'AIDER POUR TON DEVOIR DE MATHS. JE VAIS CHEZ LE DENTISTE...
C'EST PAS JUSTE ! J'AI BIEN PLUS BESOIN D'AIDE QUE LUI !
JE VAIS AVOIR ZÉRO ET CE SERA TA FAUTE !
LAISSE-MOI VOIR...
VOYONS, JENNY ! PRENDS TA CALCULATRICE, 15 x 2 ÇA FAIT PAS 2...
MAIS OUI, REGARDE !
JENNYYYYYYY... T'AS PAS APPUYÉ SUR "ÉGAL" !
SUR QUOI ?!
AH, TE VOILÀ !...
... C'EST PAS TROP TÔT, J'AI FAILLI T'ATTENDRE !
DÉSOLÉE, VICKY, MA MÈRE M'ATTEND DANS LA VOITURE. JE PEUX PAS TE RACCOMPAGNER AUJOURD'HUI...
ET COMMENT JE RENTRE, MOI, SI PERSONNE POUSSE MON FAUTEUIL ? EN RAMPANT ?!
DEMANDE À JENNY. EN ÉCHANGE, TU POURRAIS L'AIDER AVEC SES MATHS ...
PFF ! JE NE PARLE PLUS À CETTE IDIOTE !
C'EST MOI QUE TU TRAITES D'IDIOTE ?
ET D'AILLEURS, POURQUOI ELLE DEMANDE PAS À SON ABRUTI DE JOHN JOHN DE L'AIDER ?
ET L'HANDICAPÉE, POURQUOI ELLE SE FAIT PAS POUSSER PAR PIZZA-MAN ?
KARINE, OÙ TU VAS ? UNE VRAIE AMIE S'ENFUIT PAS COMME ÇA !
REVIENS ICI, SALE ÉGOÏSTE ! SINON, TOI ET MOI C'EST FINI !
KARINE ?
ÇA VA PAS ?
J'EN PEUX PLUS ! JENNY A BESOIN D'AIDE, VICKY AUSSI... MAIS JE PEUX RIEN FAIRE, J'AI RENDEZ-VOUS CHEZ LE DENTISTE !
89
À QUOI ÇA SERT D'AVOIR DE BELLES DENTS SI ON N'A PLUS D'AMIES ? BOUH-HOU-HOOOOU...
CALME-TOI... TU PEUX PAS, C'EST PAS GRAVE. ELLES VONT COMPRENDRE ...
ET PUIS JE SUIS SÛR QU'ELLES FINIRONT PAR TROUVER UNE AUTRE BONNE POIRE POUR LES SERVIR...
MAIS NON, JENNY. 15 x 2 ÇA DONNE PAS 2... ESSAIE AVEC UNE CALCULATRICE, TU VAS VOIR...
50
Delaf - Dubuc

COUCOU, KARINE ! JE SUIS AVEC JOHN JOHN, LÀ... TU VEUX QU'ON PASSE TE CHERCHER ? ÇA T'ÉVITERAIT DE MARCHER JUSQU'À L'ÉCOLE.
?
ALLEZ MONTE, LES CROISSANTS SONT ENCORE CHAUDS. TU L'AS BIEN MÉRITÉ...
?
JE LES AI GAGNÉS À UN CONCOURS RADIO. PRENDS-LES, ÇA ME FAIT PLAISIR. TON BONHEUR COMPTE BEAUCOUP POUR MOI.
?
CONCERT
CONCERT
NBA
JE PEUX PAS LES UTILISER PARCE QUE LA RAMPE D'ACCÈS POUR HANDICAPÉS EST EN RÉPARATION. VAS-Y AVEC DAN. T'INQUIÈTE PAS POUR MOI, C'EST MA GÉNÉROSITÉ NATURELLE.
?
CINÉ-CLUB ABONNEMENTS DE SAISON
IL TE PLAÎT ? ALORS JE TE L'OFFRE. C'EST POUR TE MONTRER À QUEL POINT J'APPRÉCIE TON AMITIÉ.
?
ALLEZ, J'INSISTE ! C'EST NORMAL DE S'AIDER ENTRE COPINES... ET PUIS ÇA TE VA À RAVIR !
?
92
AH BON ? TOI AUSSI T'AS DES PROBLÈMES EN MATHS ?
?
Je t'♡
Delaf - Dubuc

?
« GUEURL MAG » ?! TU LIS ÇA, TOI ?
C'EST À VICKY. ELLE L'A OUBLIÉ CHEZ MOI LE MOIS DERNIER.
PFFT ! QUEL MAGAZINE RIDICULE !
« 10 TRUCS POUR MAIGRIR DES FESSES », « MANNEQUIN, UNE CARRIÈRE TOP », « LES ROUGES À LÈVRES LES PLUS CHERS DU MONDE ».
SANS OUBLIER LE TEST DU MOIS QUI TE RÉVÈLE À TOUS LES COUPS QUELLE PERSONNE EXTRAORDINAIRE TU ES...
COVERGUEULE
ET BIEN SÛR, ELLE L'A REMPLI. TROIS FOIS PLUTÔT QU'UNE !
...
NON ! ME DIS PAS QUE TU... ?
HI ! HI ! ON L'A REMPLI TOUTES LES TROIS !
QUOI ? C'EST JUSTE POUR RIGOLER !
MAIS POURQUOI LES FILLES PERDENT DU TEMPS AVEC CES TESTS BIDONS ?! ILS NE SERVENT QU'À FAIRE VENDRE DES MAGAZINES !
J'AVOUE QUE LES RÉSULTATS QU'ON A OBTENUS NE SONT PAS TRÈS CONVAINCANTS.
Test
ES-TU UNE BONNE AMIE ?
COMBIEN TU AS EU ?
TU VOIS, TU ES CURIEUX AUSSI !
PFF !
J'AI EU 20 SUR 20. JE SUIS « L'AMIE DONT TOUT LE MONDE RÊVE » !
TSS ! ÇA PRENAIT PAS 10 QUESTIONS POUR LE DÉCOUVRIR !
JENNY ET VICKY ONT EU 20 SUR 20 AUSSI, JE SUPPOSE...
105
JENNY A EU 4 : « TU FAIS DU MAL SANS MÊME T'EN RENDRE COMPTE... MAIS TU SAIS SI BIEN TE FAIRE PARDONNER ! ».
ET VICKY A EU ZÉRO, TU IMAGINES ? « MÊME DANS TES PIRES CAUCHEMARS, TU NE VOUDRAIS PAS D'UNE AMIE COMME TOI ! ».
!
CADEAU !
?
PRESSE mag
Mensu-filles
Test
DEVRAIS-TU TE FAIRE DE NOUVELLES AMIES ?
MAXI-POTINS
RUPTURE !
STAR
SCANDALE !
Delaf - Dubuc

IL EST TELLEMENT BEAU, MON JOHN JOHN... IL PEUT PAS Y AVOIR DE PLUS BEAU MEC SUR TERRE !
ET S'IL EST LE PLUS BEAU SUR TERRE, ÇA VEUT DIRE QU'IL EST LE PLUS BEAU DE L'UNIVERS, PARCE QUE LES EXTRA-TERRESTRES, MOI, JE LES TROUVE DÉGUEUS !
TU SAIS, JENNY, L'APPARENCE C'EST PAS CE QUI COMPTE LE PLUS...
TU DIS ÇA PARCE QUE TU ES MOCHE. UN JOUR, TU TROUVERAS UN BON COIFFEUR ET TU COMPRENDRAS.
AH, AU FAIT, TU POURRAIS AVERTIR LES PROFS QUE JE SERAI ABSENTE LES DEUX PROCHAINES SEMAINES ?
AH BON ? OÙ SERAS-TU ?
EN VOYAGE DE NOCES.
!
TU TE MARIES ?! MAIS JENNY, TU ES BEAUCOUP TROP JEUNE !
PEUT-ÊTRE, MAIS COMME J'AI TROUVÉ LA ROBE IDÉALE, JE ME SUIS DIT QUE JE POUVAIS PAS RATER UNE OCCASION PAREILLE !
MAIS ...
TU PEUX PAS ÉPOUSER JOHN JOHN, T'AS JAMAIS VU CE QU'IL Y A DERRIÈRE SA VISIÈRE !
BIEN SÛR QUE SI. REGARDE : C'EST LE SOSIE DE CHRIS DARYL !
IIIIIIIIIIîîîîî
SALUT MA POULE.
C'EST PAS JOHN JOHN ! LE VRAI JE L'AI VU ET CROIS-MOI, IL ENLÈVERAIT JAMAIS SON CASQUE !
N'IMPORTE QUOI !
KARINE A RAISON, JENNY...
J'AI LONGTEMPS EU HONTE DE MONTRER MON VISAGE. MAIS DEPUIS MON OPÉRATION, LES CHOSES ONT CHANGÉ...
98
MAINTENANT, JE M'AIME COMME JE SUIS.
OH MON DIEU ! IL EST TROP BEAU !!!
REGARDE COMME IL EST BEAU...
AVOUE QUE TU EN RÊVES LA NUIT !
J'AVOUE...
Delaf - Dubuc

JE VEUX PAS TRAHIR LE SECRET DE JOHN JOHN.
...MAIS PLUS JENNY S'ATTACHE, PLUS JE M'EN VEUX DE ME TAIRE.
DANS CE CAS, IL FAUDRAIT QUE TU LE CONVAINQUES DE LUI PARLER.
OUI, MAIS COMMENT ?
DIS-LUI QUE S'IL NE SE DÉCIDE PAS, C'EST TOI QUI VAS LE FAIRE.
LA MENACE, ÇA FAIT TOUJOURS SON PETIT EFFET !
ON EST SI BEAUX TOUS LES DEUX ! T'IMAGINES LES ENFANTS QU'ON AURA ENSEMBLE ?
EUH... OUAIS...
T'AS RAISON, Y A PAS D'AUTRES SOLUTIONS.
SMACK !
À CE SOIR, MON BEAU !
ALLEZ, JE ME LANCE !
EH, JOHN JOHN...
?
IL EST TEMPS DE PARLER À JENNY AU SUJET DE... EUH...
PAS QUESTION.
SI PERSONNE SE DÉCIDE À LUI DIRE, C'EST MOI QUI VAIS LE FAIRE.
...
PAUVRE JENNY ! C'EST VRAI QU'ELLE AURAIT DROIT À UNE EXPLICATION.
MAIS JE REFUSE QU'ELLE LE SACHE !
JOHN, TU DEVRAIS ÉCOUTER TON FRÈRE.
C'EST PAS SES AFFAIRES !
108
JE LAISSERAI PERSONNE RÉVÉLER MON SECRET À JENNY.
C'EST PAS JUSTE À TOI DE DÉCIDER !
JE...
ÉCOUTE-MOI BIEN, P'TITE TÊTE : SI TU PARLES À JENNY, TU VAS FRÔLER UN MUR D'UN PEU TROP PRÈS, ON SE COMPREND BIEN ? MOCHE COMME T'ES, ÇA VA PAS T'ARRANGER !
ALORS ?
TU AVAIS RAISON...
LA MENACE, ÇA FAIT TOUJOURS SON PETIT EFFET.
Delaf - Dubuc

TU DIRAS À JENNY QU'ELLE DISE À JOHN JOHN QUE S'IL REGRETTE DE SORTIR AVEC CETTE IDIOTE, JE SUIS ENCORE PRÊTE À LUI DONNER UNE CHANCE.
TU DIRAS À VICKY QUE JOHN JOHN FAIT DIRE QUE DE TOUTE FAÇON, IL SORTIRAIT JAMAIS AVEC UNE HANDICAPÉE.
TU DIRAS À JENNY QU'ELLE DISE À JOHN JOHN QUE SA RÉPONSE EST PAS LOGIQUE PARCE QU'IL SORT DÉJÀ AVEC UNE HANDICAPÉE MENTALE !
TU DIRAS À VICKY QUE JOHN JOHN FAIT DIRE QU'IL PRÉFÈRE SORTIR AVEC UNE HANDICAPÉE MENTALE MIGNONNE PLUTÔT QU'AVEC UNE MOCHE À ROULETTES !
TU DIRAS À CETTE GROSSE NULLE QU'ELLE DISE À JOHN JOHN QUE S'IL CONTINUE À SORTIR AVEC ELLE, IL VA ÊTRE LA RISÉE DE TOUTE L'ÉCOLE !
TU DIRAS À CETTE SALE PÉTASSE QUE JOHN JOHN FAIT DIRE QU'IL SAIT PAS CE QUE LE MOT RISÉE VEUT DIRE !
101
LÀ, C'EN EST ASSEZ !
TU DIRAS À TON CRÉTIN DE JOHN JOHN QUE...
IL FAIT DIRE DE ME MÊLER DE MES AFFAIRES.
Delaf - Dubuc

Google
John John rare malformation tête
Recherche Google
J'ai de la chance
CLIC
Résultats 1 - 100 sur un total d'environ 28 900 pour John Jo
AÏE ! C'EST PAS GAGNÉ !
John Q. (2001)
John Q., 2001, de Nick Cassavetes avec Denzel Washington, Robert Duvall, Anne ...
Le John Q en question remue ciel et terre pour sauver son fils, atteint d'une grave malformation cardiaque. Pour l'enfant, une seule alternative : la greffe...
En cache - Pages similaires
John. VATER Association
Chaque lettre de ce mot représente une malformation. Ce syndrome n'est pas toujours fatal,mais John était atteint d'une forme extrêmement sévère de cette...
Faculty Profile - [Traduire cette page]
John Klingensmith. Ph.D. (Genetics, Harvard University) ... various mutant combinations that very closely resemble two severe human malformations ...
Joseph Merrick - Wikipedia
PFF !
medicalanomalies.net - john john
Selon le docteur Shaw du département néonatal du CHUS, il s'agit là d'un des cas les plus rares de malformation...
www.medicalanomalies.net/john_john.html - Pages similaires
CLIC
OH MON DIEU...
JE L'AI TROUVÉ !
Exporter des signets...
Format d'impression... ⇧⌘P
Imprimer... ⌘P
QU'EST-CE QUE TU FOUS DANS MA CHAMBRE ?
!
CLIC
Visites récentes
Effacer l'historique
RIEN, JE... EUH ...
...J'IMPRIMAIS UN TRUC...
CLIC
DZZZZ DZZZZ...
CHIPS
C'EST QUOI ? MONTRE...
NON !
C'EST BRAD PITT À POIL, C'EST ÇA ? HA ! HA !
DZZZZ DZZZZ CLOUC !
JE SUIS SÛR QUE C'EST ÇA ! SOIS PAS GÊNÉE, JE LE DIRAI PAS AUX PARENTS !
T'ES CON !
109
LES FILLES, C'EST PAS COMME LES GARÇONS, ÇA PENSE PAS JUSTE À ÇA !
PFF ! JE PENSE PAS JUSTE À ÇA !
CLAC !
Google
Angelina Jolie nue
Recherche d'images
CLIC
Delaf - Dubuc

KARINE! KARINE!
J'AI UNE SUPER NOUVELLE!
?
TU T'ES RÉCONCILIÉE AVEC VICKY?
MIEUX QUE ÇA! JE ME SUIS DÉGOTÉ UNE JUPE D'ENFER! REGARDE!
T'IMAGINES LE DERRIÈRE QUE ÇA ME FERA SUR LA MOTO DE JOHN JOHN?
IL FAUDRAIT JUSTE QUE TU ME RENDES UN PETIT SERVICE...
PFF! QUELLE SURPRISE!
COMME JE VAIS PARADER TOUTE LA SOIRÉE, IL FAUDRAIT QUE TU FASSES MES DEVOIRS À MA PLACE.
MAIS JENNY... CE SOIR, J'AI UN ENTRAÎNEMENT DE BASKET ET ENSUITE, J'ESPÉRAIS VOIR DAN...
T'AS QU'À LE REGARDER TOUT DE SUITE!... IL EST TOUJOURS PAREIL DE TOUTE FAÇON.
ALLEZ, JE T'EN SUPPLIE! ÇA N'ARRIVE QU'UNE FOIS DANS UNE VIE UNE JUPE AUSSI PARFAITE! TU ES MON SEUL ESPOIR!
JE... C'EST SÛR QUE...
NON.
?
!
ELLE VIENT DE TE DIRE QU'ELLE PEUT PAS. TU PARADERAS DEMAIN.
DEMAIN, MA JUPE SERA PEUT-ÊTRE DÉMODÉE!
J'EN REVIENS PAS QUE TU M'ABANDONNES DANS UN MOMENT SI IMPORTANT!
JE ME SENS MAL DE LA LAISSER TOMBER.
T'EN FAIS PAS, SI C'EST UNE VRAIE AMIE, ELLE VA COMPRENDRE.
PILI-BILI-PILI...
ALLÔ?
AH, KARINE, ENFIN!
SALUT DAN!
J'AI REPENSÉ À ÇA POUR LES DEVOIRS DE JENNY ET JE CROIS QUE TU DEVRAIS LES FAIRE.
QUOI, T'ES SÉRIEUX?
JENNY TENAIT VRAIMENT BEAUCOUP À PARADER AVEC SA JUPE. SI TU LA LAISSES TOMBER, JE PENSE QU'ELLE SOUFFRIRA ÉNORMÉMENT.
AU FOND, JE LA COMPRENDS. MOI AUSSI JE SOUFFRIRAIS ÉNORMÉMENT SI ON ME LAISSAIT TOMBER...
97
Delaf - Dubuc

VIE ÉTUDIANTE
TU DOIS RÉAGIR, DAN. KARINE MÉRITE MIEUX...
JENNY ET VICKY LA RENDENT MALHEUREUSE. ELLE DOIT S'EN DÉTACHER, C'EST LA SEULE SOLUTION.
JE SAIS, MAIS C'EST PAS SI SIMPLE. KARINE EST TRÈS ATTACHÉE À SES AMIES...
C'EST PAS DE L'AMITIÉ. CETTE RELATION EST MALSAINE ET TU LE SAIS.
PENSE À TOUTES LES TORTURES QU'ELLES LUI ONT FAIT SUBIR.
PAS JUSTE À ELLE. À TOI AUSSI ! ÇA PEUT PAS CONTINUER COMME ÇA.
MAIS QU'EST-CE QUE VOUS VOULEZ QUE JE FASSE ?...
... JE PEUX PAS LUI DIRE QUE SES AMIES SONT DE VRAIES GARCES, ÇA VA LUI BRISER LE COEUR !
VAS-Y PLUS EN DOUCEUR. PRÉSENTE-LUI DES FILLES SYMPAS AVEC QUI ELLE A DES CHOSES EN COMMUN.
MÉLANIE, PAR EXEMPLE.
JE SUIS SÛR QU'ELLE ET KARINE S'ENTENDRAIENT À LA PERFECTION.
ELLE EST GENTILLE, INTELLIGENTE ET PAR-DESSUS TOUT, ELLE AIME AIDER LES GENS. COMME KARINE.
GREEN PEACE
ELLE EST MÊME MEMBRE DU COMITÉ D'AIDE INTERNATIONALE. KARINE VA ADORER.
MOUAIS, J'AVOUE QUE C'EST PAS BÊTE...
C'EST LE PLAN IDÉAL, TU VEUX DIRE ! ALLEZ, VA LUI PARLER, LANCE-TOI !
BON, D'ACCORD !
JE SUIS PAS SÛR, LES GARS. MÉLANIE A SES DÉFAUTS AUSSI. EN PLUS, J'AI ENTENDU DIRE QU'ELLE AVAIT UN FAIBLE POUR DAN... VOUS IMAGINEZ S'ILS FINISSAIENT ENSEMBLE, TOUS LES DEUX ?
VIE ÉTUDIANTE
ON DEVAIT RÉAGIR. DAN MÉRITE MIEUX.
KARINE LE REND MALHEUREUX. IL DOIT S'EN DÉTACHER, C'EST LA SEULE SOLUTION.
90
Delaf - Dubuc

MAMAN... HOU HOOÔOU...
MGHFM... S'PÈCE D'ENFOIM... ...
QU'EST-CE QUI SE PASSE ?
MON NOUVEAU TOP ROSE EST SALE ET M'MAN AVAIT PROMIS DE S'OCCUPER DE LA LESSIVE.
TON NOUVEAU TOP ROSE ? FAIS VOIR...
SI TU VEUX, JE VAIS AVEC TOI, ON FERA LA LESSIVE TOUTES LES DEUX.
C'EST VRAI ?
TU LAVES ET JE SÈCHE, D'ACCORD ?
QU'EST-CE QUE T'AS MANGÉ POUR ÊTRE AUSSI GENTILLE, TOI ?
'FAUT BIEN S'ENTRAIDER ENTRE SOEURS !
DZZZZZZ !
LE LAVAGE EST TERMINÉ ! C'EST MON TOUR !
LAVERIE
ET VOILÀ !
HOP-HOP-HOP ! ATTENDS UNE SECONDE...
OUF ! UNE CHANCE QUE J'AI PENSÉ À VÉRIFIER ! IL FAUT SUSPENDRE POUR SÉCHER.
T'IMAGINES LA GAFFE QUE TU ALLAIS FAIRE ? MON SUPER TOP ROSE SERAIT DEVENU TOUT RIKIKI.
OUAIS C'EST NUL, T'AURAIS ÉTÉ OBLIGÉE DE ME LE DONNER.
93
IL FAUT TOUJOURS LIRE L'ÉTIQUETTE AVANT DE METTRE LES VÊTEMENTS À LA SÉCHEUSE.
MAIS OUI, MAIS OUI.
ET VOILÀ !
VLAM !
!
T'EN FAIS PAS POUR NOUS, M'MAN. ON SE DÉBROUILLE TRÈS BIEN SANS TOI.
GULP...
Delaf - Dubuc

QUOI, T'ÉCOUTES PAS LES REDIFFUSIONS DES FANS DE L'AMOUR ? C'EST LE TOP DES SÉRIES TÉLÉ !
ÇA M'AIDE À COMPRENDRE LE MONDE.
TIENS, L'ÉPISODE D'HIER, C'EST CELUI OÙ BRENDA DÉCOUVRE QUE SON PETIT AMI LA TROMPE AVEC...
AH !
?
FAUT PAS QUE TU VOIES ÇA ! C'EST PAREIL COMME DANS LES FANS DE L'AMOUR !
QU'EST-CE QU'IL Y A ?
ÇA DEVAIT ARRIVER ! DAN T'A LAISSÉ TOMBER... POUR UNE PLUS BELLE QUE TOI !
QUOI ?!
QUEL SALAUD, CELUI-LÀ ! IL SAIT BIEN QUE CE SERA PAS DE LA TARTE DE TE TROUVER UN AUTRE PETIT AMI, MOCHE COMME TU ES !
MÉCHANT DAN ! T'AS PAS LE DROIT DE FAIRE ÇA À MA BRENDA !
VOYONS, JENNY ! JE SUIS SÛRE QUE TU T'INQUIÈTES POUR RIEN. ATTENDS, JE VAIS ALLER VOIR CE QUI SE PASSE...
JE VIENS AVEC TOI ! TU DISTRAIS DAN PENDANT QUE JE M'OCCUPE DE SA PÉTASSE !
102 A
HEU... JE CROIS QUE TON MASCARA A COULÉ... TU FERAIS MIEUX D'ALLER FAIRE UNE RETOUCHE.
QUOI ?! ET C'EST MAINTENANT QUE TU ME LE DIS ?!
AH, KARINE !
LOL

JE TE PRÉSENTE MÉLANIE. ELLE PART BIENTÔT EN VOYAGE HUMANITAIRE. ILS VONT EN AFRIQUE CREUSER UN PUITS POUR DONNER DE L'EAU POTABLE À UN VILLAGE.
WOW ! IMPRESSIONNANT !
C'EST TOI QUI M'IMPRESSIONNES. CREUSER UN PUITS, C'EST RIEN, COMPARÉ À SUPPORTER JENNY ET VICKY !
HI ! HI ! MAIS NON, ELLES SONT PAS SI TERRIBLES.
AU FAIT, ELLE EST SUPER, TA JUPE.
MERCI. JE L'AI FAITE MOI-MÊME. 100% COTON BIOLOGIQUE ÉQUITABLE.
... RECYCLÉ, BIEN SÛR !
IL ME RESTE DU TISSU. JE POURRAI T'EN COUDRE UNE, SI TU VEUX.
VRAIMENT ?
POURQUOI PAS ? J'AI RIEN À FAIRE DEMAIN APRÈS LA MANIFESTATION POUR LA LIBÉRATION DU TIBET.
ALLEZ, JE ME SAUVE. J'AI UNE RÉUNION POUR L'ORGANISATION DE LA FÉERIE DES GLACES. C'EST UNE SOIRÉE AU PROFIT DU COMITÉ D'AIDE INTERNATIONALE.
VOUS VIENDREZ ? JE VOUS INVITE !
O.K., ON Y SERA !
À LA PROCHAINE, MÉLANIE.
TU SAIS QUOI ? JENNY S'IMAGINAIT QUE TU M'AVAIS PLANTÉE LÀ POUR ELLE.
ELLE REGARDE TROP LA TÉLÉ !
AH ! CELLE-LÀ ! QUAND EST-CE QU'ELLE VA COMPRENDRE QUE C'EST TOI QUE J'AIME ?
102B
C'EST VRAI QUE J'AURAIS EU DE QUOI M'INQUIÉTER. ELLE EST SUPER, CETTE FILLE. ET JOLIE, EN PLUS !
ÇA VOUS FAIT DEUX POINTS EN COMMUN.
HI ! HI ! T'ES GENTIL !
JENNY, TU T'EN FAISAIS POUR RIEN, CETTE FILLE EST SUPER SYMPATH...
!
FAUT PAS TE LAISSER BERNER : DANS LE PROCHAIN ÉPISODE, ELLE T'ASSASSINE !
GLOUB GLOUB GLOUB
Delaf - Dubuc

Hier, à l'entraînement, nous avons rencontré notre nouveau coach.
MOI, C'EST DIEUDONNÉ ...
... MAIS VOUS POUVEZ M'APPELER DIEU. HA ! HA !
BULLS
23
On peut dire qu'il n'a pas eu de mal à s'intégrer à l'équipe.
QUELS BICEPS !
JE CROIS QUE JE L'AI DÉJÀ VU DANS UN FILM.
Le basket n'a pas de secret pour lui. Même que les LAKERS lui auraient offert un contrat de 30 millions.
DUNK
PFF ! SI C'EST POUR ME FAIRE ARNAQUER, JE PRÉFÈRE JOUER POUR LE PLAISIR !
OOOOOOOH...
Il nous apprend plein de trucs géniaux.
EXIT
QUAND ON SAIT OÙ EST LE PANIER, LES YEUX NE SERVENT À RIEN.
C'EST MICHAEL JORDAN QUI M'A MONTRÉ ÇA.
AAAAAAAAH...
Il nous donne de super conseils
AU-DELÀ D'UN CERTAIN STADE, LA MUSCULATION PEUT DEVENIR NUISIBLE.
FAITES PAS COMME MOI, JE ME TRIMBALLE UNE VINGTAINE DE KILOS DE MUSCLES EN TROP.
Il a donné à tout le monde un petit surnom gentil.
ALLEZ, BEAUTÉ, MONTRE-MOI TON LANCER.
HI ! HI ! IL M'A APPELÉE PRINCESSE !
MOI JE SUIS SON TOP MODEL !
IL M'APPELLE SA FÉE !
ET MOI SA DÉESSE !
Je suis la seule à ne pas en avoir. J'imagine qu'il ne m'a pas vue. Peut-être que je ne me donne pas assez à l'entraînement.
PFF !
PFF !
PFF !
HI ! HI !
HA ! HA !
Ce n'est pas grave. La prochaine fois, je me défoncerai, et moi aussi j'aurai mon surnom.
NBA
DÉSOLÉ, MAIS AUJOURD'HUI, C'EST L'ENTRAÎNEMENT DE L'ÉQUIPE FÉMININE ...
REVIENS DEMAIN, P'TIT GARS.
KRMFF ! P'TIT GARS ! HA ! HA !
BULLS
23
Delaf - Dubuc

J'AI BIEN REFLECHI ET IL VA FALLOIR ÉLIMINER JENNY.
QUOI ?!
T'EN FAIS PAS, J'AI UN SUPER PLAN : ON N'A QU'À PLACER UNE PEAU DE BANANE EN HAUT DE L'ESCALIER. LORSQUE JENNY LA VERRA, ELLE EST SI CONNE QU'ELLE MARCHERA DESSUS.
JOIE ! UNE PEAU DE BANANE !
QUAND ELLE SE SERA BIEN CASSÉ LA GUEULE, JE N'AURAI PLUS QU'À DÉCLENCHER L'ALARME D'INCENDIE.
CHTONK !
WUiiiiUUUUWUiiiiU
?
TOUS LES ÉLÈVES SE PRÉCIPITERONT VERS LA SORTIE LA PLUS PROCHE...
AU FEU !
AU FEU !
... ET BYE-BYE JENNY ! GÉNIAL, NON ?
VOYONS, VICKY, TU PEUX PAS FAIRE ÇA ! JENNY EST NOTRE AMIE !!!
DIS DONC, T'ES DE QUEL CÔTÉ, TOI ? JE TE RAPPELLE QU'ELLE M'A PIQUÉ JOHN JOHN !
MAIS... Y A PAS QUE JOHN JOHN DANS LA VIE ! Y A PLEIN D'AUTRES GARS !
JE SUIS PAS COMME TOI, JE SORS PAS AVEC N'IMPORTE QUEL BABOUIN !
J'AI UNE IDÉE ! JE VAIS TE PRÉSENTER DIEUDONNÉ, NOTRE NOUVEAU COACH. TU VAS L'AIMER, TOUTES LES FILLES EN SONT FOLLES !
PAS QUESTION QUE JE SORTE AVEC UN DEUXIÈME CHOIX !
TU PEUX TE LE GARDER, TON GARS AU PRÉNOM DÉBILE !
ATTENDS AVANT DE DIRE NON. TIENS, REGARDE, C'EST LUI LÀ-BAS...
DIEUDONNÉ ! YOU-HOOOU, DIEUDONNÉÉÉÉ...
BRRRRRRRRRRRROOOOOOOOOMMMM
?
?
DIEUDONNÉ ?
OÙ ÇA ?
LÀ !
QUEL MEC !
BON, O.K. JE ME RECOIFFE ET TU ME LE PRÉSENTES.
MAIS C'EST BIEN PARCE QUE TU INSISTES...
95
Delaf - Dubuc

SALUT, DAN.
AH, SALUT, MÉLANIE.
APPELLE-MOI MEL.
T'AURAIS PAS VU KARINE? JE VOULAIS LUI DONNER CECI.
C'EST LA JUPE QUE JE LUI AVAIS PROMISE.
WOW!
JE SUIS SÛR QU'ELLE SERA HYPER TOUCHÉE. EN TOUT CAS, MOI JE LE SUIS POUR ELLE. C'EST VRAIMENT GENTIL, MEL!
C'EST TOUT NATUREL, VOYONS...
AH, KARINE! MÉLANIE TE CHERCHAIT. ELLE A COUSU TA JUPE!
POUR DE VRAI?
WOUAH! MERCI, MÉLANIE! JE CROYAIS PAS QUE TU LE FERAIS VRAIMENT.
KARINE A L'HABITUDE DES AMIES QUI NE TIENNENT PAS PAROLE...
PROMIS C'EST PROMIS. JE SUIS COMME ÇA!
C'EST LE MÊME MODÈLE QUE TOI?
C'EST CELUI QUE JE MAÎTRISE LE MIEUX. J'EN AI FAIT DES PAREILLES À TOUTES MES AMIES.
AMIE! ELLE A DIT AMIE!
VOUS M'ATTENDEZ, JE VAIS L'ENFILER ET JE VOUS MONTRE ...
O.K., PRENDS TON TEMPS.
VICKY?
KARINE?
OUACH! AVEC UNE HORREUR PAREILLE, J'AI FAILLI PAS TE RECONNAÎTRE!
107
JE LA TROUVE TRÈS BIEN, MOI, CETTE JUPE. C'EST MÉLANIE QUI ME L'A COUSUE.
LA FILLE QUI SE PROMÈNE PARTOUT ENTORTILLÉE DANS UN RIDEAU HIPPIE?
AH BEN, ÇA EXPLIQUE TOUT!
C'EST TELLEMENT MOCHE QUE ÇA DONNE ENVIE D'ÊTRE AVEUGLE! ALLEZ, APPROCHE, JE VAIS ESSAYER D'ARRANGER CE DÉSASTRE.
VOYONS, VICKY...
JE T'AVERTIS : SI TU SORS COMME ÇA, JE POURRAI PLUS JAMAIS T'ADRESSER LA PAROLE!
HI-HI! ÇA PARAÎT PLUS COURT UNE FOIS SUR MOI, NON?
Delaf - Dubuc

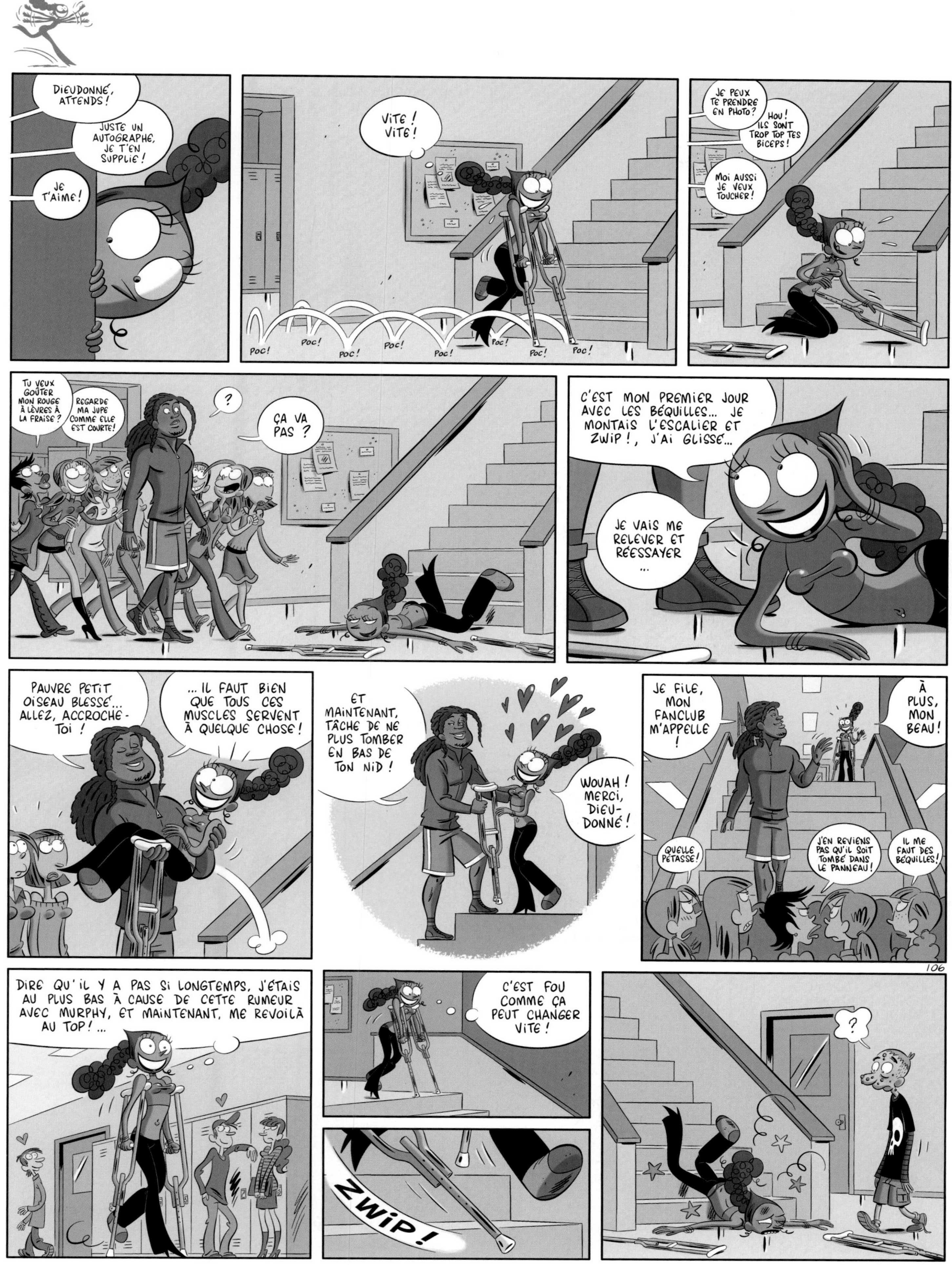
DIEUDONNÉ, ATTENDS !
JUSTE UN AUTOGRAPHE, JE T'EN SUPPLIE !
JE T'AIME !
VITE ! VITE !
POC ! POC ! POC ! POC ! POC ! POC ! POC ! POC !
JE PEUX TE PRENDRE EN PHOTO ?
HOU ! ILS SONT TROP TOP TES BICEPS !
MOI AUSSI JE VEUX TOUCHER !
TU VEUX GOÛTER MON ROUGE À LÈVRES À LA FRAISE ?
REGARDE MA JUPE COMME ELLE EST COURTE !
?
ÇA VA PAS ?
C'EST MON PREMIER JOUR AVEC LES BÉQUILLES... JE MONTAIS L'ESCALIER ET ZWIP !, J'AI GLISSÉ...
JE VAIS ME RELEVER ET RÉESSAYER ...
PAUVRE PETIT OISEAU BLESSÉ... ALLEZ, ACCROCHE-TOI !
... IL FAUT BIEN QUE TOUS CES MUSCLES SERVENT À QUELQUE CHOSE !
ET MAINTENANT, TÂCHE DE NE PLUS TOMBER EN BAS DE TON NID !
WOUAH ! MERCI, DIEU-DONNÉ !
JE FILE, MON FANCLUB M'APPELLE !
À PLUS, MON BEAU !
QUELLE PÉTASSE !
J'EN REVIENS PAS QU'IL SOIT TOMBÉ DANS LE PANNEAU !
IL ME FAUT DES BÉQUILLES !
106
DIRE QU'IL Y A PAS SI LONGTEMPS, J'ÉTAIS AU PLUS BAS À CAUSE DE CETTE RUMEUR AVEC MURPHY, ET MAINTENANT, ME REVOILÀ AU TOP ! ...
C'EST FOU COMME ÇA PEUT CHANGER VITE !
ZWIP !
?
Delaf - Dubuc

J'EN REVIENS PAS : L'AFRIQUE !
QUELLE CHANCE ! C'EST UNE EXPÉRIENCE QUI VA CHANGER TA VIE !
CONTENTE DE VOIR QUE ÇA TE FAIT AUTANT PLAISIR.
?
BON, JE FILE. N'OUBLIE PAS DE ME RAPPORTER LE FORMULAIRE.
COMPTE SUR MOI !
ATTENDS-MOI, MEL. JE VAIS DANS LA MÊME DIRECTION ...
C.A.I.
Comité d
Internati
C'EST QUOI ? TA CERTIFICATION « COPINE ÉQUITABLE » ?
MÉLANIE VIENT DE ME PROPOSER DE PASSER DEUX SEMAINES EN AFRIQUE !
!
PAUVRE KARINE, MAIS TU ES AVEUGLE ? SI ELLE TE PROPOSE DE PARTIR EN VOYAGE, C'EST POUR TE PIQUER TON DAN PENDANT TON ABSENCE !
T'INQUIÈTE PAS, ELLE VIENT AUSSI.
ÇA C'EST CE QUE TU CROIS, MAIS TU VAS VOIR QU'À LA TOUTE DERNIÈRE MINUTE, ELLE VA TROUVER UNE RUSE POUR RESTER ICI.
EN TOUT CAS, MOI, C'EST CE QUE JE FERAIS !
VICKYYY... TU AS BEAUCOUP TROP D'IMAGINATION !
ET QU'EST-CE QUE TU VAS FAIRE DE SI FABULEUX, EN AFRIQUE ? APPRENDRE À JOUER DU TAM-TAM ?
ON VA CREUSER UN PUITS POUR DONNER DE L'EAU À TOUT UN VILLAGE.
FÉERIE des GLACES
CREUSER ?! MAIS POURQUOI ILS LE FONT PAS EUX-MÊMES ?
VOUS AVEZ QU'À LEUR ENVOYER DES PELLES ET C'EST RÉGLÉ !
ET COMBIEN TU DOIS DÉBOURSER POUR AVOIR L'HONNEUR DE LES AIDER ?
SEULEMENT 150$. LE RESTE PROVIENT DES ACTIVITÉS DE FINANCEMENT.
C'EST POUR UNE BONNE CAUSE, JE DEVRAIS PAS AVOIR TROP DE MAL À CONVAINCRE MES PARENTS.
C'EST PAS COMME SI JE LEUR DEMANDAIS DE L'ARGENT POUR M'ACHETER DES VÊTEMENTS OU DU MAQUILLAGE.
!
BON, FAUT QUE J'AILLE ME CHANGER. ON REND VISITE À MA GRAND-MÈRE CE SOIR. MES PARENTS M'ATTENDENT DÉJÀ DEHORS.
T'INQUIÈTE, JE SORS LES AVERTIR QUE TU ARRIVES.
MERCI, C'EST SYMPA.
EH OUI ! Y EN A DE TOUS LES PRIX ! CELUI-LÀ, JE CONNAIS DES FILLES QUI SERAIENT PRÊTES À MENTIR À LEURS PARENTS POUR SE LE PAYER.
MENTIR POUR S'ACHETER UN ROUGE À LÈVRES À 150$? DINGUE !
Delaf - Dubuc

OH ! C'EST TROP MIGNON !
REGARDE, KARINE, Y A DES ENFANTS QUI ONT JOUÉ AU DOCTEUR ICI !
!
LÂCHE ÇA ! C'EST UNE SERINGUE UTILISÉE, C'EST PLEIN DE MALADIES !!
EURK !
MAIS... COMMENT TU SAIS QU'ILS ÉTAIENT MALADES, LES ENFANTS ?
LAISSE TOMBER...
ALLEZ, VIENS PAR ICI ...
J'AI UNE BONNE NOUVELLE À T'ANNONCER ! DANS DEUX SEMAINES, JE PARS EN AFRIQUE !
QUOI ? ET TU VAS ME LAISSER ICI TOUTE SEULE ?
POURQUOI T'EN PROFITERAIS PAS POUR TE RÉCONCILIER AVEC VICKY ?
PFF ! PAS QUESTION QUE JE ME MONTRE AUX CÔTÉS DE LA PETITE AMIE DU MEC LE PLUS MOCHE DE LA GALAXIE !
JE SERAI PAS PARTIE LONGTEMPS, JUSTE DEUX PETITES SEMAINES ...
TU PEUX PAS FAIRE ÇA, C'EST DANGEREUX L'AFRIQUE ! EN PLUS, Y A PAS DE NOURRITURE, TU POURRAS PAS MANGER !
VOYONS, JENNY, CE SONT DES PRÉJUGÉS !
ET LES LIONS, CE SONT DES PRÉJUGÉS, PEUT-ÊTRE ? ET C'EST SANS COMPTER LES CANNIBALES !
IL FAUT ABSOLUMENT QUE TU ANNULES ET QUE TU RESTES ICI AVEC MOI !
JENNY, JE PEUX PAS, J'AI DONNÉ MA PAROLE À MÉLANIE.
IL RESTE DES DÉTAILS À RÉGLER, MAIS À MOINS D'UN CAS DE FORCE MAJEURE, IL EST TROP TARD POUR REVENIR EN ARRIÈRE.
C'EST QUOI, UN CAS DE FORCE MAJEURE ?
BEN... COMME SI QUELQU'UN DE MA FAMILLE MOURAIT, OU BIEN SI J'ÉTAIS MALADE...
ARRÊTE, JENNY, NON !
C'EST POUR TON BIEN ! JE PRÉFÈRE TE VOIR MALADE QUE DE TE LAISSER TE FAIRE DÉVORER PAR UNE TRIBU DE PAPOUS !
Delaf - Dubuc

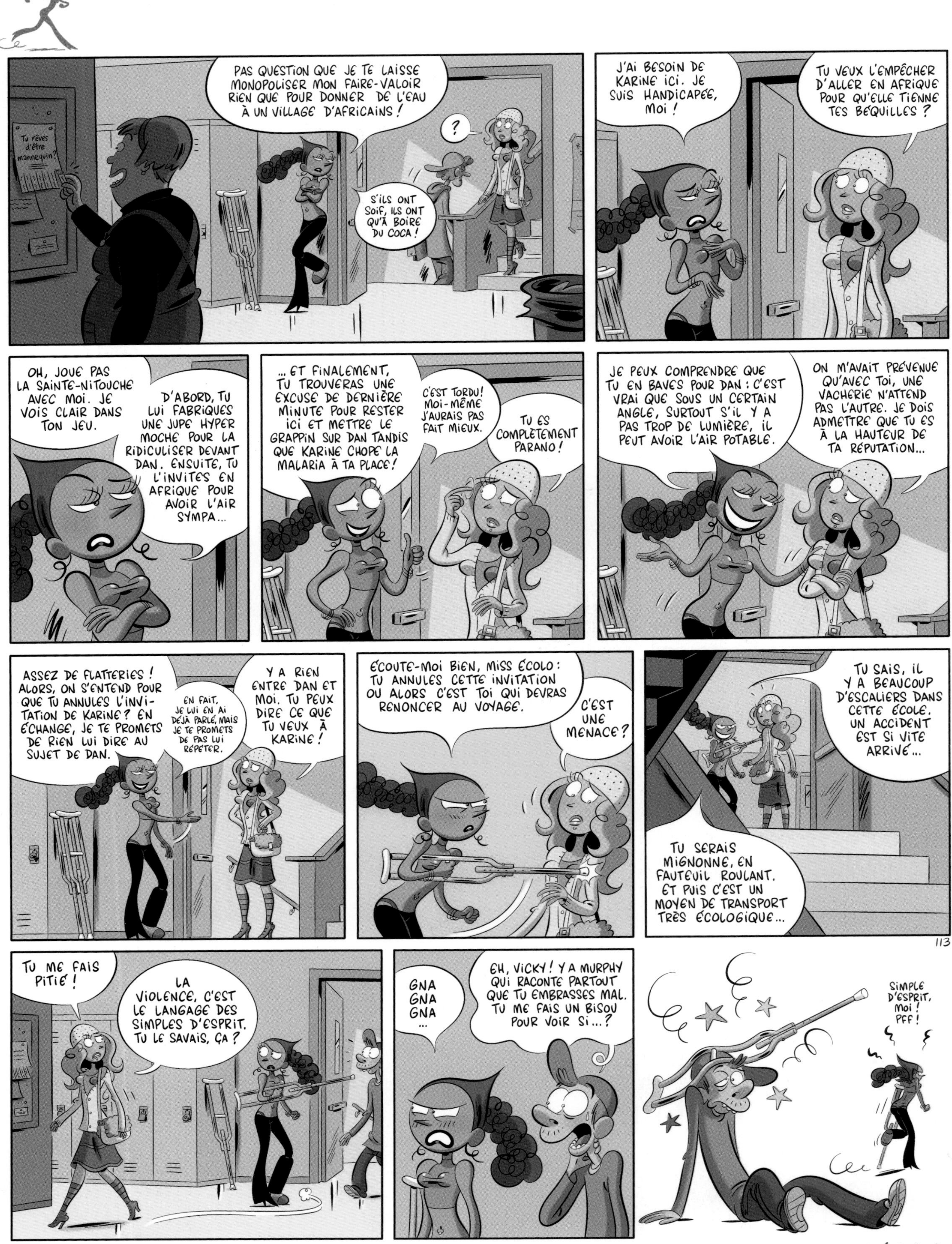
Tu rêves d'être mannequin?
PAS QUESTION QUE JE TE LAISSE MONOPOLISER MON FAIRE-VALOIR RIEN QUE POUR DONNER DE L'EAU À UN VILLAGE D'AFRICAINS !
?
S'ILS ONT SOIF, ILS ONT QU'À BOIRE DU COCA !
J'AI BESOIN DE KARINE ICI. JE SUIS HANDICAPÉE, MOI !
TU VEUX L'EMPÊCHER D'ALLER EN AFRIQUE POUR QU'ELLE TIENNE TES BÉQUILLES ?
OH, JOUE PAS LA SAINTE-NITOUCHE AVEC MOI. JE VOIS CLAIR DANS TON JEU.
D'ABORD, TU LUI FABRIQUES UNE JUPE HYPER MOCHE POUR LA RIDICULISER DEVANT DAN. ENSUITE, TU L'INVITES EN AFRIQUE POUR AVOIR L'AIR SYMPA...
... ET FINALEMENT, TU TROUVERAS UNE EXCUSE DE DERNIÈRE MINUTE POUR RESTER ICI ET METTRE LE GRAPPIN SUR DAN TANDIS QUE KARINE CHOPE LA MALARIA À TA PLACE !
C'EST TORDU ! MOI-MÊME J'AURAIS PAS FAIT MIEUX.
TU ES COMPLÈTEMENT PARANO !
JE PEUX COMPRENDRE QUE TU EN BAVES POUR DAN : C'EST VRAI QUE SOUS UN CERTAIN ANGLE, SURTOUT S'IL Y A PAS TROP DE LUMIÈRE, IL PEUT AVOIR L'AIR POTABLE.
ON M'AVAIT PRÉVENUE QU'AVEC TOI, UNE VACHERIE N'ATTEND PAS L'AUTRE. JE DOIS ADMETTRE QUE TU ES À LA HAUTEUR DE TA RÉPUTATION...
ASSEZ DE FLATTERIES ! ALORS, ON S'ENTEND POUR QUE TU ANNULES L'INVITATION DE KARINE ? EN ÉCHANGE, JE TE PROMETS DE RIEN LUI DIRE AU SUJET DE DAN.
EN FAIT, JE LUI EN AI DÉJÀ PARLÉ, MAIS JE TE PROMETS DE PAS LUI RÉPÉTER.
Y A RIEN ENTRE DAN ET MOI. TU PEUX DIRE CE QUE TU VEUX À KARINE !
ÉCOUTE-MOI BIEN, MISS ÉCOLO : TU ANNULES CETTE INVITATION OU ALORS C'EST TOI QUI DEVRAS RENONCER AU VOYAGE.
C'EST UNE MENACE ?
TU SAIS, IL Y A BEAUCOUP D'ESCALIERS DANS CETTE ÉCOLE. UN ACCIDENT EST SI VITE ARRIVÉ...
TU SERAIS MIGNONNE, EN FAUTEUIL ROULANT. ET PUIS C'EST UN MOYEN DE TRANSPORT TRÈS ÉCOLOGIQUE...
113
TU ME FAIS PITIÉ !
LA VIOLENCE, C'EST LE LANGAGE DES SIMPLES D'ESPRIT. TU LE SAVAIS, ÇA ?
GNA GNA GNA ...
EH, VICKY ! Y A MURPHY QUI RACONTE PARTOUT QUE TU EMBRASSES MAL. TU ME FAIS UN BISOU POUR VOIR SI... ?
SIMPLE D'ESPRIT, MOI ! PFF !
Delaf - Dubuc

TU VEUX QU'ON AILLE FAIRE LE TOUR DU LAC EN MOTO ?
PFFT... J'EN AI ASSEZ DE TOURNER AUTOUR DE CETTE FLAQUE !
ALORS JE POURRAIS T'EMMENER MANGER UNE CRÈME GLACÉE ?
JOHN JOHN, IL FAIT -5°C !
ET PUIS JE VAIS FINIR PAR GROSSIR SI ON Y VA UNE TROISIÈME FOIS DANS LA MÊME JOURN...
JE L'ADOOORE !
IL EST TROP CHOU !
?
DIEUDONNÉ EST DÉJÀ LÀ ?
OUI, LE JEUDI, IL ARRIVE PLUS TÔT !
FAUT QUE JE NOTE ÇA À MON AGENDA !
MOI C'EST PAS NÉCESSAIRE ! JE VAIS M'EN SOUVENIR TOUTE MA VIE !
JOHN JOHN ! ELLES SONT PASSÉES SANS NOUS REGARDER ! FAIS QUELQUE CHOSE !
VROUM VROUM VROUM
GRAT GRAT
ATTENDS, JE VAIS ALLER LEUR EXPLIQUER QUE C'EST TOI LE PLUS BEAU.
C'EST QUI CE DIEU-MACHIN ? QU'EST-CE QUE VOUS AVEZ À VOUS PÂMER DEVANT LUI ?
IL N'A MÊME PAS DE MOTO !
COUCOU, JENNY !
VICKY ? JE CROYAIS QUE TU NE M'ADRESSAIS PLUS LA PAROLE !
BAH... JE T'EN VOULAIS DE SORTIR AVEC LE PLUS BEAU MEC DE L'ÉCOLE.
MAIS C'EST DU PASSÉ, MAINTENANT.
CONTENTE QUE TU DISES ÇA ! DES COPINES COMME NOUS DEVRAIENT JAMAIS SE FAIRE LA GUEULE POUR DES GARÇONS !
TOUT À FAIT D'ACCORD !
KLING KLING
TIENS, MON PETIT OISEAU BLESSÉ !
!
CUI-CUI ! HI-HI !
J'ALLAIS À L'ARRÊT DE BUS. T'INQUIÈTE, JE VAIS ME RELEVER ET CONTINUER...
HUMPF !
ALLEZ ! ACCROCHE-TOI À TON SAUVEUR !
TCHAO, JENNY. CONTENTE DE VOIR QUE NOUS SOMMES REDEVENUES DES AMIES INSÉPARABLES !
SI C'ÉTAIT PAS MA MEILLEURE COPINE, JE LA DÉTESTERAIS !
Delaf - Dubuc

TU M'ATTENDS DEUX MINUTES ? JE VAIS PAYER MON INSCRIPTION POUR L'AFRIQUE.
PAYER POUR SE FAIRE PIQUER SON PETIT AMI. C'EST BIEN TOI, ÇA !
TU FERAIS MIEUX D'UTILISER CET ARGENT POUR TE REFAIRE UN LOOK ! TU FAIS PAS LE POIDS CONTRE MÉLANIE.
JE CONNAIS UNE CHOUETTE PETITE BOUTIQUE, AU COIN DE...
VICKY, ARRÊTE !
JE PEUX ÊTRE COPINE AVEC MÉLANIE ET TOI EN MÊME TEMPS, SOIS PAS SI JALOUSE !
MOI, JALOUSE DE CETTE BUVEUSE DE CAMOMILLE ? PAS DU TOUT !
EN PLUS, ELLE A UN GROS DERRIÈRE !
ARRÊTE D'ESSAYER DE ME MONTER CONTRE MÉLANIE. J'AI CONFIANCE EN ELLE ET JE LA LAISSERAI PAS TOMBER SI PRÈS DU DÉPART.
TU VAS FINIR VIEILLE FILLE, JE T'AURAI AVERTIE !
C'EST ÇA !
MÉLANIE ?
AH, KARINE ! ENTRE ...
JE VIENS TE PORTER L'ARGENT POUR LE...
!
TU ES BLESSÉE ?
AH, M'EN PARLE PAS ! IL M'EST ARRIVÉ UN PETIT ACCIDENT ...
UN ACCIDENT ? QU'EST-CE QUI S'EST PASSÉ ?
JE SUIS EUH... TOMBÉE DANS L'ESCALIER.
MAIS...
... ÇA VA QUAND MÊME PAS T'EMPÊCHER DE FAIRE LE VOYAGE ?
JE SAIS PAS. ON VA VOIR À QUELLE VITESSE ÇA GUÉRIT. ÇA M'EMBÊTERAIT BEAUCOUP DE LAISSER TOMBER.
AU MOINS, SI JE DOIS RESTER ICI, JE POURRAI TENIR COMPAGNIE À DAN...
TU VAS VOIR QU'À LA TOUTE DERNIÈRE MINUTE, ELLE VA TROUVER UNE RUSE POUR RESTER ICI ET TE PIQUER TON DAN !
Y A UN TRUC QUI VA PAS ?
ALORS, ELLE EST OÙ, CETTE CHOUETTE PETITE BOUTIQUE ?

Delaf - Dubuc

AH, JE PEUX PAS ALLER À LA FÊTE DE CE SOIR HABILLÉE COMME ÇA...
C'EST TA SEULE CHANCE DE LUTTER CONTRE MÉLANIE. ON N'A PAS LE TEMPS POUR LA CHIRURGIE PLASTIQUE.
JE ME SENS PAS MOI-MÊME !
C'EST LE BUT, FIGURE-TOI...
RENDS-TOI À L'ÉVIDENCE : TON DAN EN BAVE POUR CE LOOK NULLISSIME.
ET PUIS ARRÊTE DE TE PLAINDRE. SANS MOI, TU SERAIS SUR LE POINT DE T'EMBARQUER POUR L'AFRIQUE... SEULE !
MÉLANIE QUI SIMULE UNE ENTORSE POUR RESTER AVEC DAN ...
... TU ES FORCÉE D'ADMETTRE QUE J'AVAIS PARFAITEMENT PRÉDIT CE QUI ALLAIT ARRIVER !
MAINTENANT, PASSONS AUX CHOSES SÉRIEUSES : LE VERT KAKI OU LE VERT POMME ?
VICKY ...
T'AURAIS QUAND MÊME PAS BLESSÉ MÉLANIE POUR PROUVER TA THÉORIE ET ME GARDER ICI ?
QUOI ?
QUEL SENS DE L'AMITIÉ ! TU CROIS CETTE SALE MENTEUSE ET TU SUSPECTES TA VIEILLE COPINE ! BRAVO !
MOI, FAIRE UNE ENTORSE À MÉLANIE... PFF ! TU ME CONNAIS MAL !
TANT QU'À ME DONNER LA PEINE, JE LUI AURAIS PÉTÉ LES DEUX JAMBES !
TU AS RAISON, PARDONNE-MOI...
MAIS POUR LE LOOK, IL FAUT TROUVER AUTRE CHOSE.
OUAIS... C'EST VRAI QU'EN PLUS D'ÊTRE AFFREUX, ÇA TE VA PAS DU TOUT.
117
MÉLANIE, AU MOINS, LE PORTE BIEN. TU VAS SOUFFRIR DE LA COMPARAISON... ET ÇA NE FERA QUE LA METTRE ENCORE PLUS EN VALEUR.
MAIS OUI ! POURQUOI J'Y AI PAS PENSÉ PLUS TÔT...
VOILÀ, ÇA C'EST UN LOOK D'ENFER !
Delaf - Dubuc

TU AS VU CETTE BANDE D'ATTARDÉS? TOUS TROP NULS POUR SE FABRIQUER DE FAUX PAPIERS D'IDENTITÉ ET ALLER DANS UNE VRAIE DISCOTHÈQUE!
FÉERIE DES GLACES
Au profit du C.A.I.
ET TOI, REGARDE-TOI : TU AURAIS MIEUX FAIT DE GARDER LES VÊTEMENTS QUE JE T'AVAIS PRÊTÉS.
vestiaire
JE POUVAIS PAS, VICKY. J'AVAIS L'IMPRESSION D'ÊTRE DÉGUISÉE.
OUAIS, BEN VAUT MIEUX ÊTRE DÉGUISÉE EN FILLE PLUTÔT QU'EN CLOWN!
EH, VICKY! TU VEUX DANSER ?
À FOND, J'EN CRÈVE D'ENVIE! AVEC LES BÉQUILLES, JE VAIS M'ÉCLATER!
¡DIOT!
PFFT! PASSER LA SOIRÉE AVEC LES MÊMES MOCHES QU'ON CÔTOIE CINQ JOURS PAR SEMAINE, RIDICULE! QU'EST-CE QUE JE CROYAIS, QUE LA PÉNOMBRE LEUR ARRANGERAIT LA GUEULE ?
vestiaire
ET L'AUTRE QUI ME NARGUE AVEC SON JOHN JOHN!
C'EST PAS GRAVE, VICKY.
TOI TU PEUX BIEN PARLER : TON DAN VA RAMENER SA CHEVELURE ET TU VAS ME LAISSER TOUTE SEULE!
MAIS NON...
C'EST DÉCIDÉ : JE DÉGAGE!
T'AS QU'À PASSER LE RESTE DE LA SOIRÉE AVEC MISS MOTARD ET SON CHAUFFEUR!
VICKY ...
115
JE REFUSE D'ÊTRE LA SEULE SANS PETIT COPAIN. L'HUMILIATION, J'AI DÉJÀ DONNÉ!
ZWIIIP!
HA HA HA HA HA HA
ZUT-ZUT-ZUT-ZUT! ... ET MERDE!
DUR DUR, LA VIE D'UN PETIT OISEAU BLESSÉ, HEIN?
FINALEMENT, JE CROIS QUE JE VAIS RESTER ENCORE QUELQUES MINUTES...
Delaf - Dubuc

TU ES TELLEMENT BELLE, MA POULE !
JE SAIS, JE ME VOIS DANS TA VISIÈRE !
C'EST CLAIR QU'ON EST LE PLUS BEAU COUPLE DE LA SOIRÉE. PAUVRE TOUT LE MONDE : ÇA DOIT ÊTRE DUR D'ÊTRE TOUJOURS DANS L'OMBRE !
EH ! QU'EST-CE QUI SE PASSE ? IL Y A UNE PANNE ?
NON ! JE LE CROIS PAS, ENCORE LUI ? ET ELLE... GRRR !
ON EST FAITS L'UN POUR L'AUTRE : MOI JE TOMBE TOUT LE TEMPS ET TOI TU ES ASSEZ FORT POUR ME RELEVER ...
ON DEVRAIT SE MARIER !
HA ! HA ! HA ! HA !
EH, JE VIENS DE TE FAIRE UNE DÉCLARATION. TU PEUX PLEURER DE JOIE, TOMBER DANS LES POMMES OU PÉTER UN INFARCTUS, MAIS ÉCLATER DE RIRE, C'EST PAS DANS LES CHOIX !
J'AI UN TRUC À TE DIRE...
Y A UN PROBLÈME, MA POULE ?
OUI : TOI. TU N'AS PLUS LA COTE !
VICKY ! 'FAUT QUE JE TE PARLE. TOUT DE SUITE !
ALLEZ, À PLUS, PETIT OISEAU !
TAP TAP TAP
SURVEILLANT
J'AI UN ÉCHANGE À TE PROPOSER : MON JOHN JOHN CONTRE TON DIEUMACHIN.
O.K.
TU VEUX ?!
À UNE CONDITION : SI ON ÉCHANGE CE SOIR, C'EST DÉFINITIF.
MARCHÉ CONCLU !
T'AS LA COTE, CE SOIR !
TU VAS PAS FAIRE TA JALOUSE ?
SURVEILLANT
Delaf - Dubuc

AH, JOHN JOHN, QUELLE BELLE SOIRÉE ! TOI, MOI ET LA MOTO ENFIN RÉUNIS !
VIENS, ON VA FAIRE UNE BALADE.
TU AS DE LA CHANCE QUE J'AIE RÉUSSI À T'ÉCHANGER. TU AS DÛ T'ENNUYER FERME AVEC CETTE IDIOTE DE JENNY...
VICKY ! TU M'AS EX-CROQUÉE !
DIEUDONNÉ EST GAY ET TU LE SAVAIS ! RENDS-MOI JOHN JOHN !
ÉCHANGÉ C'EST ÉCHANGÉ ! T'AVAIS QU'À INSPECTER LA MARCHANDISE AVANT LA TRANSACTION !
JOHN JOHN EST À MOI !
NON, IL EST À MOI !
!
TU VAS ME LE PAYER !
LES FILLES ! ARRÊTEZ !
VOILÀ OÙ ÇA NOUS MÈNE, LES PETITS SECRETS !
IL EST TEMPS DE LE LEUR DIRE, MAINTENANT. SINON, JE LEUR MONTRE CECI.
!
OÙ TU AS TROUVÉ CETTE VIEILLE PHOTO ?!
AVEC LES BONS MOTS-CLÉS, ON TROUVE TOUT SUR INTERNET !
JE SAVAIS QUE ÇA FINIRAIT PAR ARRIVER.
IL FAUT PASSER AU PLAN D'URGENCE : PARTIR, ET NE PLUS JAMAIS REVENIR...
PARTIR ? VOYONS... IL SUFFIT DE DIRE LA VÉRITÉ !
ESSAIE DE COMPRENDRE, KARINE ...
AVANT DE VENIR ICI, AVEC MON FRÈRE, ON FRÉQUENTAIT UNE AUTRE ÉCOLE. TU PEUX PAS SAVOIR L'ENFER QUE C'ÉTAIT. LES GENS PEUVENT ÊTRE TELLEMENT MÉCHANTS !
VISE-MOI CETTE TÊTE !
TERRIBLE !
J'AI DES FRISSONS PARTOUT !
DEPUIS LE PREMIER JOUR, ICI, C'EST DIFFÉRENT. GRÂCE À LA MOTO, ET AU CASQUE. C'ÉTAIT UNE IDÉE DE PAPA. UN MOTARD CASQUÉ C'ÉTAIT PARFAIT.
VROUM ! VROUM !
?
LES FILLES SE PÂMAIENT, LES GARÇONS ÉTAIENT ENVIEUX... IL ÉTAIT HORS DE QUESTION DE RETIRER CE CASQUE. C'ÉTAIT COMME UN RÊVE !
VISE-MOI CETTE MOTO !
TERRIBLE !
J'AI DES FRISSONS PARTOUT !

KARINE, CES SOUVENIRS SONT SI PRÉCIEUX... EST-CE QUE CE SECRET POURRAIT RESTER ENTRE NOUS ?
MAIS... QU'EST-CE QUE JE VAIS DIRE À JENNY ET VICKY ?
TU TROUVERAS ...
CE SERAIT PARFAIT DE PARTIR EN SACHANT QUE TOUT LE MONDE ICI SE RAPPELLERA DE JOHN JOHN, LE MYSTÉRIEUX MOTARD CASQUÉ.
MMH.
D'ACCORD. JE DIRAI RIEN.
MERCI, KARINE. JE CROIS QUE TU ES LA SEULE VÉRITABLE AMIE QUE J'AIE EUE À CETTE ÉCOLE.
TIENS, J'AVAIS PRÉPARÉ CETTE LETTRE POUR JENNY ET VICKY AU CAS OÙ...
PLUS JAMAIS J'ÉCHANGERAI MON PETIT AMI AVEC TOI !
ALORS LA RUMEUR SELON LAQUELLE JOHN JOHN NE SAIT PAS ÉCRIRE SERAIT FAUSSE?
ÉVIDEMMENT ! PAS CON !
J'ÉTAIS TELLEMENT BIEN ICI QUE J'AI FAIT SEMBLANT D'ÊTRE NUL POUR RESTER PLUS LONGTEMPS.
ADIEU, KARINE.
VROUM! VROUM!
EH! JOHN JOHN S'EN VA ?
!
VRRR
IL PEUT PAS ! COMMENT JE VAIS RENTRER, MOI ?!
LES FILLES ...
... JOHN JOHN EST PARTI POUR TOUJOURS.
QUOI ?!
IL A LAISSÉ ÇA POUR VOUS.
À dzieu mais poulls
OH, MON DIEU, PAS ÇA ! C'EST TROP CRUEL !! JOHN JOHN, REVIENS, ON PEUT PAS VIVRE SANS TA MOTOOOO !
Delaf - Dubuc

- PAPA A EU TORT. SE CACHER SOUS UN CASQUE ÉTAIT UNE IDÉE STUPIDE !
- C'ÉTAIT LA SEULE CHOSE À FAIRE. C'EST PLUTÔT MAMAN QUI A ÉTÉ STUPIDE DE REFUSER L'OPÉRATION.
- MAMAN M'A SAUVÉ LA VIE ! JE T'INTERDIS DE DIRE DU MAL D'ELLE.
- ...
- IL FAUT ARRÊTER DE SE CACHER, MAINTENANT. ÇA FAIT SOUFFRIR TOUT LE MONDE.
- BON. COMME TU VEUX.
IL EST MIGNON, VOUS TROUVEZ PAS ?
C'EST QUOI TON NOM, MON JOLI ?
JOHN
JOHN
AAAAAAAH !
AAAAAAH...
AAAH... BANG !
BANG !
FINALEMENT, PAPA AVAIT PEUT-ÊTRE RAISON ...
J'TE L'AVAIS DIT, P'TITE TÊTE !
Delaf - Dubuc

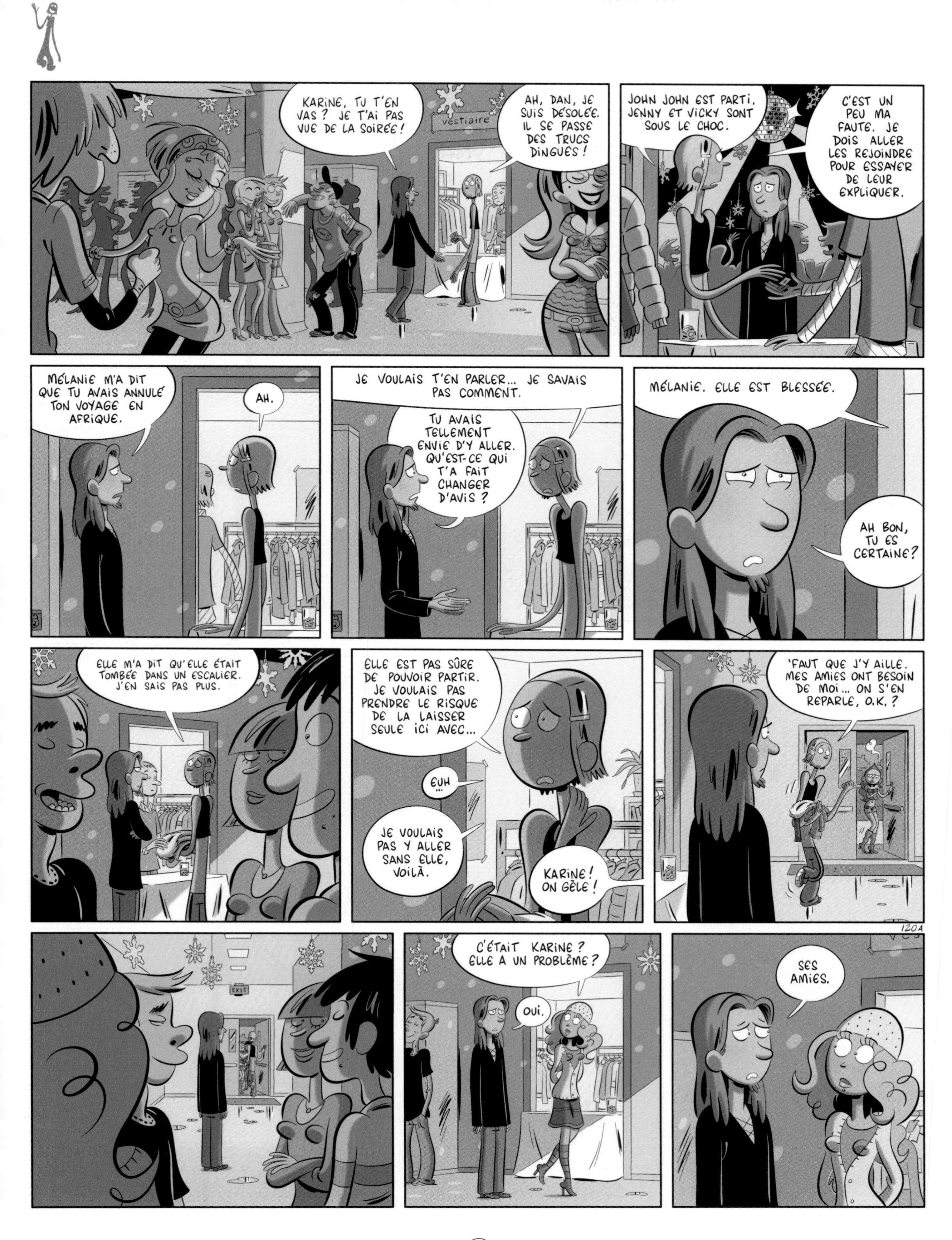
KARINE, TU T'EN VAS ? JE T'AI PAS VUE DE LA SOIRÉE !
AH, DAN, JE SUIS DÉSOLÉE. IL SE PASSE DES TRUCS DINGUES !
vestiaire
JOHN JOHN EST PARTI. JENNY ET VICKY SONT SOUS LE CHOC.
C'EST UN PEU MA FAUTE. JE DOIS ALLER LES REJOINDRE POUR ESSAYER DE LEUR EXPLIQUER.
MÉLANIE M'A DIT QUE TU AVAIS ANNULÉ TON VOYAGE EN AFRIQUE.
AH.
JE VOULAIS T'EN PARLER... JE SAVAIS PAS COMMENT.
TU AVAIS TELLEMENT ENVIE D'Y ALLER. QU'EST-CE QUI T'A FAIT CHANGER D'AVIS ?
MÉLANIE. ELLE EST BLESSÉE.
AH BON, TU ES CERTAINE?
ELLE M'A DIT QU'ELLE ÉTAIT TOMBÉE DANS UN ESCALIER. J'EN SAIS PAS PLUS.
ELLE EST PAS SÛRE DE POUVOIR PARTIR. JE VOULAIS PAS PRENDRE LE RISQUE DE LA LAISSER SEULE ICI AVEC...
EUH...
JE VOULAIS PAS Y ALLER SANS ELLE, VOILÀ.
KARINE ! ON GÈLE !
'FAUT QUE J'Y AILLE. MES AMIES ONT BESOIN DE MOI... ON S'EN REPARLE, O.K. ?
EXIT
C'ÉTAIT KARINE ? ELLE A UN PROBLÈME ?
OUI.
SES AMIES.

TU AVAIS RAISON: KARINE A ESSAYÉ DE ME FAIRE CROIRE QUE TU N'ALLAIS PLUS EN AFRIQUE.
QUEL MENSONGE MINABLE !
ELLE M'A MÊME DEMANDÉ DE FAIRE SEMBLANT D'ÊTRE BLESSÉE. ELLE CHERCHE UNE EXCUSE POUR RESTER AVEC JENNY ET VICKY.
SES AMIES ONT VRAIMENT TROP D'INFLUENCE SUR ELLE.
LE PIRE, C'EST QU'ELLE TE LAISSE TOMBER ALORS QU'ELLE T'AVAIT DONNÉ SA PAROLE. C'EST INEXCUSABLE.
IL FAUT LA COMPRENDRE. KARINE AIME BEAUCOUP SES AMIES...
... ET QUAND ON AIME, ON EST CAPABLE DE TOUT. MÊME DE FAIRE DU MAL À QUELQU'UN QUI NE LE MÉRITE PAS.
DIEUDONNÉ GAY, JOHN JOHN PARTI, KARINE SUR LE POINT DE PERDRE DAN ...
PAUVRES NOUS !
VOUS EXAGÉREZ, LES CHOSES NE VONT PAS SI MAL.
TU ES TROP NAÏVE, KARINE.
AH ZUT, MON BONNET EST RESTÉ AU VESTIAIRE ...
CE SERA PAS ÉVIDENT DE TROUVER QUELQU'UN POUR LA REMPLACER SI PRÈS DU DÉPART...
JE ME SENS COUPABLE. C'EST MOI QUI AI INSISTÉ POUR QUE TU L'INVITES.
JE VAIS PRENDRE SA PLACE. C'EST LA MEILLEURE SOLUTION.
DAN... TE SENS PAS OBLIGÉ.
ELLE ME DÉÇOIT TELLEMENT.
ALLONS, VIENS LÀ...
ÇA VA ALLER.
120B
ALORS, TU AS RETROUVÉ TON BONNET ?
JE VAIS DEVOIR L'OUBLIER...
JE CROIS QUE JE L'AI DÉFINITIVEMENT PERDU.
Delaf - Dubuc 2007

medicalanomalies.net - John John

288/11/Lundi 19h24

Les jumeaux John et John se partagent le même corps. À la naissance, les parents ont refusé l'amputation de la plus petite des deux têtes.

Page 1 sur 1

http://www.medicalanomalies.net/john_john.html